Scénarios et illustrations des clowns Archi et Toupeti : Katharina Bußhoff.

P. 6 :
La grande histoire :
Dis Papa, pourquoi ?

P. 26 :
La comptine à mimer :
De corps à cœur

p. 34 :
Les jeux de Turlututu

P. 40 :
La petite histoire :
Voici la Terre

P. 50 : Le rituel
du Bonne nuit

D1417770

Lou le loup

Bouh! Bouh!

1. « Bouh ! Bouh ! »
Lou le loup a un gros chagrin.

2. Son cerf-volant est coincé
tout en haut d'un arbre.

3. Tout seul, Lou le loup ne peut pas
l'attraper ! Mais avec Cochon...

4. ... et Mouton...
... et Lapin...

5. ... tous ensemble,
ils ont sauvé le cerf-volant !

Scénario : Murielle Szac. Illustrations : Catherine Proteaux.

Dis Papa, pourquoi ?

Une grande histoire écrite et illustrée par Christian Voltz.

**Dis Papa, pourquoi
on prend pas la voiture
pour aller au jardin
de Papi ?**

Parce que ce n'est pas loin,
mon bonhomme !

Et puis, à vélo,
on avance
avec les oiseaux !

**Dis Papa, pourquoi il y a
plein de mauvaises herbes
devant son jardin, à Papi ?**

Ce ne sont pas des mauvaises herbes.
Ce sont les maisons des papillons...

... et des petites
bestioles !

Hééé Papa !

Pourquoi les pucerons
mangent les salades ?

Parce que les salades,
c'est bon !
Mais on va mettre
des coccinelles.
Elles adorent croquer
les pucerons !

Miam !

Papa !

Pourquoi on n'arrose pas

avec le tuyau d'arrosage ?

Parce qu'on n'a pas besoin
de tant d'eau.

Et puis,
avec l'arrosoir,
les fourmis
peuvent prendre
une douche !

J'aime pas
la douche !

Papa, pourquoi il y a pas de pommes
sur mon pommier ?

14

Parce qu'il pousse
tout doucement.

Mais Papa, pourquoi ?

Mais poussin, parce que ton pommier
est tout jeune… comme toi !

Des pommes,
il en aura plus tard.
Et toi, tu seras alors
un grand gaillard !

En attendant,
cueille une pomme
dans cet arbre-là !

Papi l'a planté
il y a très longtemps...

... pour moi !

Et pour moi !

Et pour moi !
Hi hi !

Alors ?
Ta pomme,
elle est bonne ?

Dis Papa,
pourquoi
tu poses toujours
des questions ?!

Scrontch !

Fin

c'est le mois vert !

Les magazines **Bayard Jeunesse** parlent de Développement Durable.

→ **Bayard Jeunesse** a décidé de fêter la Semaine du Développement Durable ! De Popi à Phosphore, tous nos magazines se sont mis au vert en proposant sujets, reportages, documentaires, histoires… permettant à tous nos lecteurs, petits et grands, de découvrir les enjeux auxquels notre planète est confrontée.

→ **Cette préoccupation n'est pas nouvelle pour nos magazines !**
Depuis toujours nos rédacteurs, illustrateurs, photographes ont eu le souci d'offrir aux jeunes des plongées dans la complexité du monde d'aujourd'hui. Nulle volonté de dramatiser les grandes questions climatiques, économiques ou sociales qui se posent chaque jour à nous. Bien au contraire, nous pensons qu'il est de notre mission **d'éclairer, de manière confiante et constructive, cet avenir qui est le nôtre.**

→ Ce mois vert est une étape. Chaque mois, nous continuerons à chercher, en pensant à notre planète, comment être davantage encore au service de tous les enfants, **ces enfants qui sont le futur de notre monde.**

1ᵉʳ AU 7 AVRIL
SEMAINE DU DEVELOPPEMENT DURABLE

PASSEZ AU DURABLE
ÇA MARCHE !

www.semainedudeveloppementdurable.gouv.fr

Archi et Toupeti

Toupeti, tu sais
ce que ce petit oiseau
veut nous dire ?

Oui ! Il veut
que tu tournes la page
pour lire
la prochaine histoire.

Une comptine à mimer pour le plaisir de jouer avec ses mains,
et découvrir tout ce que l'on peut faire avec.
Pour la chanter avec votre enfant, retrouvez cette comptine
sur le site www.bayardweb.com/tralalire/musique

Tapent, tapent,

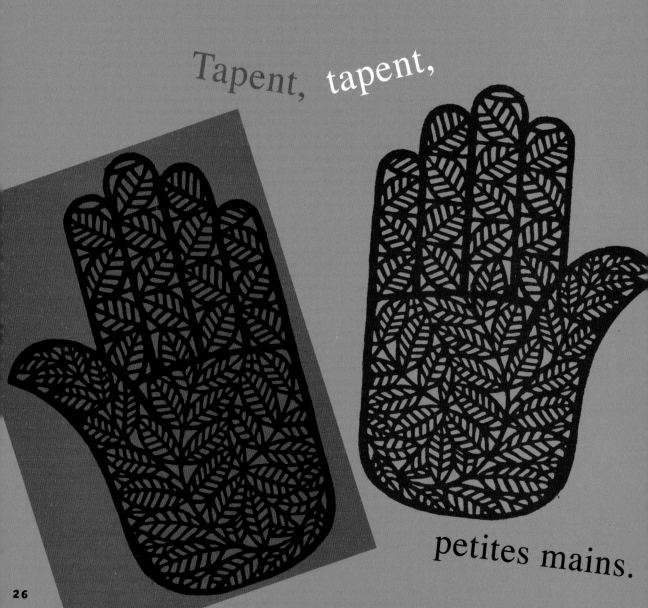

petites mains.

Tourne, tourne, petit moulin.

Vole, vole, petit oiseau.

Nage, nage,
petit poisson.

Petites mains ont   bien tapé,

petit   moulin a bien tourné.

Petit oiseau a bien volé,
petit poisson a bien nagé.

Photos et illustrations : Antonin Louchard.

Antonin Louchard 31

Archi et Toupeti

Toupeti, on dirait
que nous avons
de nouveaux amis.

Salut, les curieux !
Qui veut jouer avec nous ?

LES JEUX DE TURLUTUTU

PAR HERVÉ TULLET

BONJOUR !
C'EST MOI, TURLUTUTU.
JE NE SAIS PAS OÙ ALLER HABITER...
TU M'AIDES À CRÉER UN BEL ENDROIT ?

LAISSE EN BLANC
CE QUE TU CHOISIS DE GARDER.

AVEC TON FEUTRE NOIR,
FAIS DISPARAÎTRE CE QUE TU NE VEUX PAS.

35

DANS MA NOUVELLE MAISON, J'AURAI...
UN CANAPÉ TRÈS CONFORTABLE

UNE BELLE TABLE POUR T'INVITER À MANGER

UN BEAU DESSIN AU MUR
TU LES DESSINES
POUR MOI ?

BON, EN ATTENDANT
QUE TU VIENNES ME VOIR,
IL FAUT QUE J'AILLE JETER
MON SAC À LA POUBELLE,
PUIS CUEILLIR DES FLEURS
ET LES OFFRIR À TARLATATA.
TU ME MONTRES LE CHEMIN ?
MERCI ET À BIENTÔT !

RETROUVE
LES AVENTURES
DE TURLUTUTU
EN LIBRAIRIE !
BAYARD JEUNESSE

Une petite histoire sur notre planète
Voici LA TERRE

Écrite et illustrée par Emilio Urberuaga.

VOICI LA TERRE AVEC SES FORÊTS, SES RIVIÈRES.

DANS LES RIVIÈRES, IL Y A DES ANIMAUX...

DANS LES VILLES, IL Y A DES HOMMES...

CERTAINS ONT L'AIR TOUJOURS FÂCHÉS.

CERTAINS ONT L'AIR TOUJOURS FÂCHÉS.

DANS LES FORÊTS, ÇA RIT ET ÇA BAVARDE BEAUCOUP.

DANS LES GRANDES VILLES AUSSI !

HABITANTS DES FORÊTS,
DES RIVIÈRES ET DES VILLES,

NOUS VIVONS TOUS ENSEMBLE...

...DANS LA MÊME MAISON,

ET CETTE MAISON, C'EST LA TERRE !

Bonne nuit

1. Bonne nuit, écureuil.
Dors tranquille !

2. Bonne nuit, lièvres.
Faites de beaux rêves !